QUERO COLO!

© Stela Barbieri e Fernando Vilela, 2016

COORDENAÇÃO EDITORIAL Graziela R. S. Costa Pinto

EDIÇÃO DE ARTE Rita M. da Costa Aguiar
PROJETO GRÁFICO Fernando Vilela
PRODUÇÃO INDUSTRIAL Alexander Maeda
IMPRESSÃO D'ARTHY Editora e Gráfica Ltda

Dados Internacionais de Catalogação na Publicação (CIP)
(Câmara Brasileira do Livro, SP, Brasil)

Barbieri, Stela
    Quero colo! / Stela Barbieri e Fernando
    Vilela. -- São Paulo : Edições SM, 2016.

    1. Literatura infanti I. Vilela, Fernando.
II. Título.

    ISBN 978-85-418-1344-0

16-02042   CDD-028.5

Índices para catálogo sistemático:

    1. Literatura infantil 028.5

Grafia conforme o novo Acordo Ortográfico da Língua Portuguesa

1ª edição maio de 2016
1ª impressão de 2018

Todos os direitos reservados a
EDIÇÕES SM
Rua Tenente Lycurgo Lopes da Cruz 55
Água Branca 05036-120 São Paulo SP Brasil
Tel. (11) 2111-7400
www.edicoessm.com.br

FONTES: Helvética Neue e The Sans
PAPEL: Offset 90 g/m²

QUERO COLO!

STELA BARBIERI E FERNANDO VILELA

sm

Para a querida Cleide Terzi

UM COLINHO É SEMPRE BOM!

PRA DORMIR...

PRA COMER...

PRA PASSEAR.

GOSTO DE COLO
QUANDO ESTOU TRISTE...

OU NO TRABALHO DA MAMÃE.

UM COLINHO É MARAVILHOSO PRA PERAMBULAR POR AÍ...

PRA TOMAR SOL...

E NA HORA DE VIAJAR.

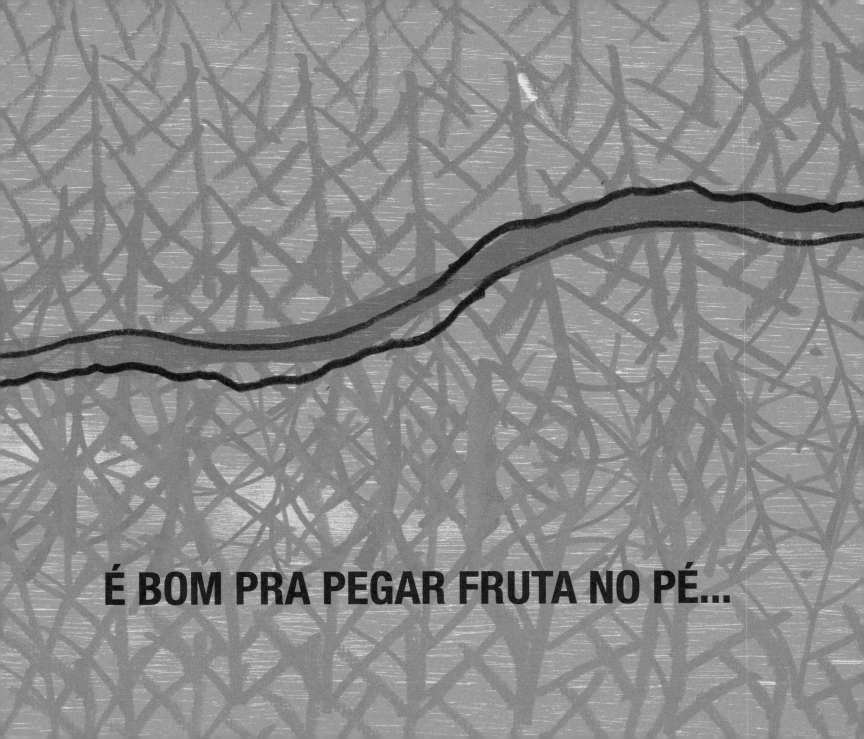

É BOM PRA PEGAR FRUTA NO PÉ...

PRA AQUECER...

E NA VOLTA PRA CASA.

DE MANHÃ,

DE TARDE,

DE NOITE.

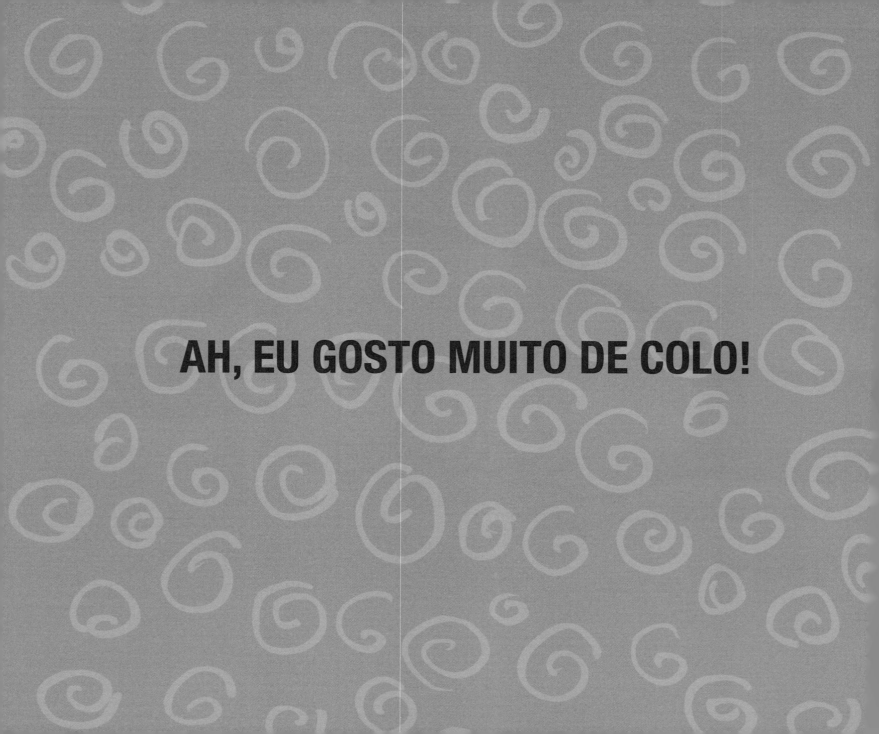

AH, EU GOSTO MUITO DE COLO!

E QUEM NÃO GOSTA?

SOBRE O LIVRO

A ideia deste livro surgiu de uma curiosidade dos autores: como as crianças são carregadas e ninadas em diferentes partes do mundo? E os bichos?

Para falar desse assunto, eles fizeram diversos experimentos até chegar nesse livro.

Na parceria deles, em geral um escreve (Stela) e outro ilustra (Fernando). Mas aqui fizeram de outro jeito, um contribuindo com o trabalho do outro. Fernando escreveu a narrativa de alguns colos e Stela criou os fundos de todas as ilustrações. Nelas, usaram lápis preto, pincel, ecoline, carimbos de borracha, gravura em madeira; em algumas imagens, utilizaram o computador para colorir.

SOBRE OS AUTORES

Stela Barbieri

Quando criança, ganhei colos deliciosos da minha mãe e de muitas pessoas próximas. Alguns deles me marcaram para sempre. No colinho gostoso das minhas tias eu ouvia histórias, já no do meu pai, eu via livros de arte e escutava música... Por causa dessas e muitas outras experiências me tornei artista, educadora, gestora cultural e escritora.

Escrevi mais de vinte livros infantojuvenis, muitos deles em viagens, na cadeira de balanço, no ateliê, na cama... Meus trabalhos de arte convidam as pessoas a participar, desenhando no espaço, construindo coisas, fazendo música ou inventando modos de estar junto e tornar visíveis ideias e percepções. Já expus obras no Brasil e no exterior.

Minha produção pode ser vista no site: www.stelabarbieri.com.br

Fernando Vilela

Não me esqueço do colinho cheiroso da minha avó Elza, do colo quente do meu pai, sempre acompanhado de um abraço, e do colo carinhoso da minha mãe. E também dos colos das madrinhas e tias queridas, onde eu inventava histórias, que depois desenhava. Talvez por isso tenha me tornado artista, escritor, ilustrador de livros e designer.

Escrevi quinze livros infantojuvenis, ilustrei mais de sessenta, muitos em parceria com Stela. Recebi vários prêmios pelo meu trabalho, como o Jabuti (em cinco ocasiões). Como artista, adoro desenhar e fotografar. Participei de mostras no Brasil e no exterior e meus trabalhos estão no MoMA de Nova York e na Pinacoteca do Estado de São Paulo.

Minha produção pode ser vista no site: www.fernandovilela.com.br